数学文化

李大潜　主编

神奇的伽马函数

Shenqi de Gama Hanshu

靳志辉

中国教育出版传媒集团

高等教育出版社·北京

图书在版编目（CIP）数据

神奇的伽马函数 / 靳志辉编 . -- 北京 ： 高等教育出版社，2018. 3（2024.5 重印）

（数学文化小丛书 / 李大潜主编 . 第四辑）

ISBN 978-7-04-049461-7

Ⅰ . ①神… Ⅱ . ①靳… Ⅲ . ①阶乘计数 – 普及读物 Ⅳ . ① O157-49

中国版本图书馆 CIP 数据核字（2018）第 033360 号

项目策划 李艳馥 李 蕊

策划编辑	李 蕊	责任编辑	于丽娜	封面设计	张 楠
版式设计	马 云	插图绘制	邓 超	责任校对	张 薇
责任印制	存 怡				

出版发行	高等教育出版社	网 址	http://www.hep.edu.cn	
社 址	北京市西城区德外大街 4 号		http://www.hep.com.cn	
邮政编码	100120	网上订购	http://www.hepmall.com.cn	
印 刷	中煤（北京）印务有限公司		http://www.hepmall.com	
开 本	787mm×960mm 1/32		http://www.hepmall.cn	
印 张	2.25			
字 数	38 千字	版 次	2018 年 3 月第 1 版	
购书热线	010-58581118	印 次	2024 年 5 月第 2 次印刷	
咨询电话	400-810-0598	定 价	9.00 元	

本书如有缺页、倒页、脱页等质量问题，请到所购图书销售部门联系调换

版权所有　侵权必究

物 料 号　49461-00

数学文化小丛书编委会

数学文化小丛书总序

整个数学的发展史是和人类物质文明和精神文明的发展史交融在一起的。数学不仅是一种精确的语言和工具、一门博大精深并应用广泛的科学，而且更是一种先进的文化。它在人类文明的进程中一直起着积极的推动作用，是人类文明的一个重要支柱。

要学好数学，不等于拼命做习题、背公式，而是要着重领会数学的思想方法和精神实质，了解数学在人类文明发展中所起的关键作用，自觉地接受数学文化的熏陶。只有这样，才能从根本上体现素质教育的要求，并为全民族思想文化素质的提高夯实基础。

鉴于目前充分认识到这一点的人还不多，更远未引起各方面足够的重视，很有必要在较大的范围内大力进行宣传、引导工作。本丛书正是在这样的背景下，本着弘扬和普及数学文化的宗旨而编辑出版的。

为了使包括中学生在内的广大读者都能有所收益，本丛书将着力精选那些对人类文明的发展起过重要作用、在深化人类对世界的认识或推动人类对世界的改造方面有某种里程碑意义的主题，由学有专长的学者执笔，抓住主要的线索和本质的内容，由浅入深并简明生动地向读者介绍数学文化的丰富内涵、数学文化史诗中一些重要的篇章以及古今中外一些著名数学家的优秀品质及历史功绩等内容。每个专题篇幅不长，并相对独立，以易于阅读、便于携带且尽可能降低书价为原则，有的专题单独成册，有些专题则联合成册。

希望广大读者能通过阅读这套丛书，走近数学、品味数学和理解数学，充分感受数学文化的魅力和作用，进一步打开视野、启迪心智，在今后的学习与工作中取得更出色的成绩。

李大潜

2005 年 12 月

目　录

引　言

　　数学爱好者们聚集在网络论坛上的一大乐事就是对各类和数学相关的事物评头论足、论资排辈. 如果要评选历史上最伟大的数学家, 数学 "粉丝" 们将围绕高斯、黎曼、牛顿、欧拉、阿基米德等一流数学人物展开口水战; 如果要讨论最奇妙的数学常数, e, π, $\varphi = \dfrac{\sqrt{5}-1}{2}$ 肯定成为三大最具实力的竞争对手; 如果要推举最美丽的数学公式, 欧拉公式 $\mathrm{e}^{\mathrm{i}\pi}+1=0$ 与自然数平方倒数的级数求和 $1+\dfrac{1}{2^2}+\dfrac{1}{3^2}+\dfrac{1}{4^2}+\cdots = \dfrac{\pi^2}{6}$ 绝对是榜上有名. 那如果有人追问最神奇的数学函数是什么? 答案自然又会变得极具争议, 而我相信如下这个长相有点奇特的伽马函数:

$$\Gamma(x) = \int_0^\infty t^{x-1}\mathrm{e}^{-t}\mathrm{d}t$$

极有资格成为一个热门候选.

　　伽马函数是用积分形式定义的**超越函数**, 对于习惯了初等函数的我们, 伽马函数的长相着实让人觉得有点高深莫测, 一副讳莫如深、拒人于千里之

外的样子. 然而如果我们只在自然数集合 **N** 上来考察伽马函数, 却发现伽马函数摇身一变, 成为了异常简洁的模样

$$\Gamma(n) = (n-1)!, \quad \forall n \in \mathbf{N}. \tag{1}$$

阶乘! 那是每个高中生都很熟悉的数学概念, 伽马函数一下变得如此的亲切、平易近人了. 实际上, 基于高等数学中的分部积分方法, 很容易证明伽马函数具有如下的递归性质:

$$\Gamma(x+1) = x\Gamma(x).$$

由此可以快速推导出 (1) 式. 所以伽马函数也称**阶乘函数**. 由于伽马函数在整个实数轴上都有定义, 于是可以看做是阶乘概念在实数集上的延拓.

如果我们继续多学习一些数学知识, 就会惊奇地发现这个具有神秘气质的伽马函数真是才华横溢. 它栖身于现代数学的各个分支, 在微积分、概率论、偏微分方程、组合数学, 甚至是看起来八竿子打不着的数论当中, 都起着重要的作用. 这个函数具有极高的实用价值, 而绝非是数学家凭空臆造的抽象玩具, 它被频繁应用于现代科学之中, 包括物理学、统计机器学习、人工智能等领域.

笔者主要从事统计自然语言处理和机器学习相关的研究工作, 多年来在概率统计和机器学习中频繁地接触和学习伽马函数. 不过长期以来一直处于一知半解的状态, 这个函数令人心存疑惑:

1. 伽马函数这么复杂的表达形式, 肯定不可能

是凭空想到的, 历史上数学家是基于什么原理找到这个奇特的函数的?

2. 现代数学对伽马函数的定义使它满足 $\Gamma(n) = (n-1)!$, 为何定义伽马函数的时候不让它满足 $\Gamma(n) = n!$?

3. 在实数域上伽马函数是唯一满足阶乘特性的函数吗? 它有哪些奇特的地方?

4. 伽马函数在各种概率分布的密度函数中频繁出现, 伽马函数本身是否有直观的概率解释?

带着这些疑问, 笔者翻阅了许多讲解伽马函数的历史和应用的资料, 发现伽马函数真是一个来自异族的美女, 与生俱来携带着一种神秘的色彩. 你要接近她并不难, 然而她魅力独特, 令你无法看透. 从她出生开始, 就吸引着众多一流的数学家对她进行解读. 历史上伽马函数的发现, 和数学家对阶乘、插值以及积分的研究有着紧密的联系, 而这最早要从著名的沃利斯公式讲起.

一、无心插柳 —— 沃利斯公式

1655 年, 英国数学家沃利斯 (John Wallis, 1616—1703) (如图 1) 写下了一个神奇的数学公式

$$\frac{2}{1} \cdot \frac{2}{3} \cdot \frac{4}{3} \cdot \frac{4}{5} \cdot \frac{6}{5} \cdot \frac{6}{7} \cdot \frac{8}{7} \cdot \frac{8}{9} \cdots = \frac{\pi}{2}. \qquad (2)$$

π 居然可以如此齐整地表示成奇数、偶数的比值, 真是令人惊讶! π 在数学史上是一个令数学家魂牵梦绕的常数, 为了寻求对 π 这个迷人的常数更加深刻的理解, 数学英雄们前赴后继倾注了无数的精力. 数学家陆续发现, π 可以表达成许许多多奇妙的形式, 而沃利斯公式是欧洲历史上发现的第二个把 π 表达成无穷序列的公式①. 由于它简洁的对称美, 也成为了许多数学人经常提及的数学公式之一.

为何沃利斯公式会和伽马函数发生联系呢? 对沃利斯公式做一下变形整理, 就可以得到如下等价

---

①第一个把 π 表示成无穷乘积的式子是法国数学家韦达于 1593 年给出的: $\dfrac{2}{\pi} = \dfrac{\sqrt{2}}{2} \cdot \dfrac{\sqrt{2+\sqrt{2}}}{2} \cdot \dfrac{\sqrt{2+\sqrt{2+\sqrt{2}}}}{2} \cdots$.

形式:

$$\lim_{n \to \infty} \frac{(2^n \cdot n!)^4}{[(2n)!]^2(2n+1)} = \frac{\pi}{2}.$$

其中, 我们看到了阶乘, 所以沃利斯公式天然和阶乘有着紧密的联系, 自然也就和阶乘函数会发生关联.

图 1 沃利斯

看着奇妙的沃利斯公式, 我们不禁心生疑问: 历史上这个神奇的公式是如何被发现的? 这个公式又如何证明? 我们站在现代数学知识的高度来回望历史, 其实利用微积分的知识来推导这个公式并不难, 许多微积分课本上都会提供一个证明. 证明的主要思路是从积分式

$$I(n) = \int_0^\pi \sin^n x \mathrm{d}x$$

出发, 通过分部积分可以得到一个关于 $I(n)$ 的递推公式, 反复使用这个递推公式就可以证明结论.

上述这个证明思路有点繁琐, 著名数学家波利亚 (George Pólya, 1887—1985) 在他的名著《数学与猜想》中提到了另外一个符合直觉、令人赏心悦目、但不算严格的 "证明" 思路, 我们来欣赏一下. 基于高中数学知识我们知道:

1. 如果一个多项式 $f(x)$ 有零点 $x_1, x_2, \cdots, x_n$ (此处 x_i, x_j 可以相同, 对应于有重根的情形), 那么 $f(x)$ 一定可以表示为

$$f(x) = a_0(x - x_1)(x - x_2) \cdots (x - x_n).$$

2. 正弦函数 $\sin x$ 有无穷多个零点 $0, \pm\pi, \pm 2\pi, \pm 3\pi, \cdots$.

以上两个知识点看起来毫不相干, 因为我们都知道正弦函数 $\sin x$ 并不是一个多项式. 然而大数学家欧拉 (Leonhard Euler, 1707—1783) 却为这两个看似不相关的知识搭建桥梁, 大胆地猜测 $\sin x$ 也具有多项式的这种性质, 也就是

$$\begin{aligned}
\sin x &= x \prod_{n=1}^{\infty} \left(1 - \frac{x^2}{n^2\pi^2}\right) \\
&= x\left(1 - \frac{x^2}{\pi^2}\right)\left(1 - \frac{x^2}{4\pi^2}\right)\left(1 - \frac{x^2}{9\pi^2}\right)\cdots. \quad (3)
\end{aligned}$$

这样看似瞎猜的式子也能成立? 是的, 利用现代数学分析的知识可以严格证明, 欧拉的猜测完全正确!

正弦函数 $\sin x$ 是我们极为熟悉的, 它可以通过多项式级数展开来表示, 这一点对于理工科背景的大学生也是常识. 在微积分课程中我们都会学习

$\sin x$ 的泰勒展开式

$$\sin x = x - \frac{x^3}{3!} + \frac{x^5}{5!} - \frac{x^7}{7!} + \cdots.$$

但是把 $\sin x$ 表示成无穷乘积的展开式 (3) 恐怕就不为大众所熟悉了, 通常是数学背景的学生才会接触到. (3) 这个展开式在数学推导中有许多妙用. 数学史上它发挥的第一个重要作用, 就是帮助欧拉推导出了如下美丽的公式[1]:

$$1 + \frac{1}{2^2} + \frac{1}{3^2} + \frac{1}{4^2} + \cdots = \frac{\pi^2}{6}.$$

(3) 式的另一个妙处就是可以用于证明沃利斯公式, 不过这个思路并非欧拉本人给出, 而是后来的数学家发现的. 在 (3) 式中取 $x = \frac{\pi}{2}$, 可以得到

$$1 = \frac{\pi}{2} \prod_{n=1}^{\infty} \left(1 - \frac{1}{4n^2}\right) = \frac{\pi}{2} \prod_{n=1}^{\infty} \left(\frac{2n-1}{2n} \cdot \frac{2n+1}{2n}\right),$$

所以

$$\frac{\pi}{2} = \prod_{n=1}^{\infty} \left(\frac{2n}{2n-1} \cdot \frac{2n}{2n+1}\right).$$

上式正好就是沃利斯公式. 之所以说以上的证明不够严格, 是由于欧拉给的 $\sin x$ 无穷乘积展开式的严格证明并不简单, 依赖于现代数学分析理论.

---

[1] 自然数平方倒数级求和问题在历史上极为有名, 被称为巴塞尔问题. 该问题首先由门戈利在 1644 年提出, 几十年来难倒众多数学家, 欧拉于 1735 年给出精确答案而名声大噪, 当时欧拉年仅 28 岁.

欣赏完沃利斯公式的证明, 我们把镜头重新拉回到沃利斯生活的年代. 要知道沃利斯给出他的公式是在 1655 年, 那时候牛顿刚满 12 岁, 莱布尼茨更小, 欧拉还没出生, 整个欧洲数学界对微积分的认识还停留在非常粗糙的萌芽阶段, 对正弦函数 $\sin x$ 的认识也非常有限, 所以沃利斯当然不可能用上述思路找到他的公式. 那沃利斯是如何发现这个 π 的无穷乘积表达式的呢?

在沃利斯的时代, 微积分有了初步的进展, 当时考虑的典型的问题是求一个曲线和坐标轴围成的面积. 欧洲的数学家追寻阿基米德一千多年前开创的穷竭法, 把曲线下的面积表达为求无穷多个矩形面积的和. 当积分的思想在 17 世纪开始逐步发酵的时候, 沃利斯已经能够运用积分的思路处理一些简单曲线的面积. 譬如, 对于最简单的幂函数曲线 $y = x^n$, 使用我们现在的数学记号, 沃利斯时代的数学家获得了如下的结果:

$$\int_0^1 x^n \mathrm{d}x = \frac{1}{n+1}, \quad n = 0, 1, 2, \cdots.$$

圆的面积一直是千百年来数学家们深入关心和研究的问题, 很自然地, 沃利斯也想到了可以使用同样的思路来处理圆的面积. 不过数学家早已证明圆的面积是 πr^2, 用积分的方法去计算圆的面积能带来什么好处呢? 沃利斯在此做了一个漂亮的逆向思维: 我们已经知道四分之一的单位圆圆弧 $y = \sqrt{1-x^2}$ ($0 \le x \le 1$) 和坐标轴围成的面积是 $\frac{\pi}{4}$ (如图 2), 如

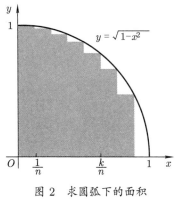

图 2　求圆弧下的面积

果这个面积能通过无穷分割的方法表达为一个解析表达式, 那这个解析表达式就可以用于计算 π.

然而沃利斯在处理这个圆弧下的面积的时候遇到了困难. 虽然基于无穷分割的方法可以得到

$$\int_0^1 (1-x^2)^{1/2} \mathrm{d}x = \lim_{n \to \infty} \frac{1}{n} \sum_{k=1}^{n} \sqrt{1 - \frac{k^2}{n^2}},$$

但是这个极限难以简化计算. 数学家做数学研究的时候有一些思路非常奇特, 当遇到一个特定的问题无法求解时, 他们会考虑逆流而上, 把原本的问题泛化为一个更一般的问题来思考, 原本的问题就成为这个升级版本的特例. 表面上看问题变得更加困难复杂了, 然而在思考一个更一般的问题的时候却往往容易发现规律. 沃利斯就是利用这样的技巧来处理他遇到的难题:

1. 考虑更一般的曲线面积问题

$$A_{p,q} = \int_0^1 (1 - x^{\frac{1}{p}})^q \mathrm{d}x,$$

原来的问题变成了一个特例: 计算 $A_{\frac{1}{2}, \frac{1}{2}}$;

2. 对 p, q 为整数的情况做计算, 并系统地列成表格, 从表格中观察变化规律, 总结出一般的公式;

3. 把计算公式从 p, q 为整数的情形延拓、内插到分数的情形, 从而计算出 $A_{\frac{1}{2}, \frac{1}{2}}$.

表 1 $B_{p,q}$ 数值表

p	q						
	0	1	2	3	4	$\cdots$	10
0	1	1	1	1	1	$\cdots$	1
1	1	2	3	4	5	$\cdots$	11
2	1	3	6	10	15	$\cdots$	66
3	1	4	10	20	35	$\cdots$	286
4	1	5	15	35	70	$\cdots$	1001
$\vdots$	$\vdots$	$\vdots$	$\vdots$	$\vdots$	$\vdots$		$\vdots$
10	1	11	66	286	1001	$\cdots$	184756

沃利斯对 $p, q = 1, 2, \cdots, 10$ 做了计算, 发现 $A_{p,q}$ 这个表格不太好处理, 改为倒数之后容易分析. 取 $B_{p,q} = \dfrac{1}{A_{p,q}}$, 列出表格 (见表 1), 仔细一分析, 就会发现, 面对着左上角 $B_{0,0}$ 的一系列平行对角线上的数居然恰好构成了帕斯卡三角形! 这个三角形中的组合数已经是数学家熟知的, 于是沃利斯很容易

地得到

$$B_{p,q} = \frac{(p+q)!}{p!q!} = \frac{1}{p!}(q+1)(q+2)\cdots(q+p),$$

$$q = 0, 1, 2, \cdots. \tag{4}$$

由上式进一步可以得到如下递推公式:

$$B_{p,q} = \frac{p+q}{q}B_{p,q-1}. \tag{5}$$

原本的问题就转化为计算 $B_{\frac{1}{2},\frac{1}{2}}$. 沃利斯由此开始他极具洞察力的推广:

1. 把 $B_{p,q}$ 从整数推广到分数, 虽然 (4) 和 (5) 是基于 p,q 为整数得到的, 但是也应该适用于分数的情形;

2. 由于原始表格是对称的, 推广到分数之后的表格依然应该保持对称性.

基于对称性假设和计算式 (4), 我们可以得到

$$B_{\frac{1}{2},1} = B_{1,\frac{1}{2}} = \frac{1}{1!}\left(\frac{1}{2}+1\right) = \frac{3}{2}.$$

考虑 $p = \dfrac{1}{2}$ 的情形, 重复使用递推公式 (5), 容易得到

$$B_{\frac{1}{2},m} = \frac{2m+1}{2m}\cdot\frac{2m-1}{2m-2}\cdot\ \cdots\ \cdot\frac{5}{4}\cdot\frac{3}{2},$$

$$B_{\frac{1}{2},m+\frac{1}{2}} = \frac{2m+2}{2m+1}\cdot\frac{2m}{2m-1}\cdot\ \cdots\ \cdot\frac{4}{3}\cdot B_{\frac{1}{2},\frac{1}{2}}.$$

由于 $B_{\frac{1}{2},q}$ 是基于 q 递增的, 所以有

$$B_{\frac{1}{2},m-\frac{1}{2}} < B_{\frac{1}{2},m} < B_{\frac{1}{2},m+\frac{1}{2}}.$$

利用 (5) 式这个递推公式, 马上可以得出上式两端有相同的极限

$$\lim_{m\to\infty} B_{\frac{1}{2},m+\frac{1}{2}} = \lim_{m\to\infty} \frac{2m+2}{2m+1} B_{\frac{1}{2},m-\frac{1}{2}}$$
$$= \lim_{m\to\infty} B_{\frac{1}{2},m-\frac{1}{2}}.$$

利用极限的夹逼准则, 可以得到

$$\lim_{m\to\infty} B_{\frac{1}{2},m} = \lim_{m\to\infty} B_{\frac{1}{2},m+\frac{1}{2}}.$$

即有

$$\frac{3}{2} \cdot \frac{5}{4} \cdot \ldots \cdot \frac{2m-1}{2m-2} \cdot \frac{2m+1}{2m} \cdot \ldots$$
$$= B_{\frac{1}{2},\frac{1}{2}} \cdot \frac{4}{3} \cdot \ldots \cdot \frac{2m}{2m-1} \cdot \frac{2m+2}{2m+1} \cdot \ldots,$$

所以

$$\frac{2}{B_{\frac{1}{2},\frac{1}{2}}} = \frac{2}{1} \cdot \frac{2}{3} \cdot \frac{4}{3} \cdot \frac{4}{5} \cdot \ldots \cdot \frac{2m-2}{2m-1} \cdot \frac{2m}{2m-1} \cdot$$
$$\frac{2m}{2m+1} \cdot \frac{2m+2}{2m+1} \cdot \ldots.$$

由于 $A_{\frac{1}{2},\frac{1}{2}}$ 是四分之一圆的面积, 所以 $\dfrac{2}{B_{\frac{1}{2},\frac{1}{2}}} = 2A_{\frac{1}{2},\frac{1}{2}} = \dfrac{\pi}{2}$, 代入上式就得到了沃利斯公式 (2).

上述推导的基本思想是在沃利斯的名著《无穷算术》(Arithmetica Infinitorum, 1655) 中给出的. 沃利斯公式对 π 的表示如此奇特, 以至于著名物理学家惠更斯第一次见到这个公式的时候根本不相信. 直到有人给惠更斯展示了利用该公式对 π 做近似

计算的结果, 才消除了惠更斯的疑惑. 沃利斯是在牛顿之前英国最有影响力的数学家, 他的这本书包含了现代微积分的先驱工作, 对后来的数学家包括牛顿、斯特林、欧拉产生了重要的影响. 沃利斯把组合数 $B_{p,q}$ 从整数推广到分数的方法很有创造性. 牛顿研读沃利斯的这本书的时候受到启发, 把二项式定理从整数的情形推广到了分数的情形, 这也是牛顿有生以来的第一个数学发现. 而牛顿后续在微积分上的工作也同样受到了沃利斯的深刻影响.

回过头来我们观察一下沃利斯公式推导过程中使用的 (4) 式, 组合数 $B_{p,q}$ 中包含了阶乘 $p!, q!$, 当沃利斯认为这个公式也适合于 p, q 为分数的情形的时候, 隐含了一个假设: **阶乘这个源自整数的概念也可以推广到分数情形**. 虽然沃利斯并没有清晰地提出把阶乘概念推广到分数, 沃利斯对一些特殊积分式的研究方法、沃利斯公式的结论以及推导过程却给后来的数学家进一步研究阶乘提供了许多重要的线索, 也为未来伽马函数的发现埋下了一颗种子.

二、近似与插值的艺术

17 世纪中期, 由于帕斯卡、费马、伯努利等数学家的推动, 概率论以及与之相关的组合数学获得了很大的发展, 阶乘开始频繁地出现在数学家的研究工作中. 由于 $n!$ 随 n 的增长速度太快, 在缺乏高效计算工具的年代, 数学家们首先面对的挑战就是阶乘的数值计算. 真正开始对 $n!$ 进行细致的

图 3　棣莫弗

研究并取得突破的, 是数学家棣莫弗 (Abraham de Moivre, 1667—1754) (如图 3) 和斯特林 (James Stirling, 1692—1770).

棣莫弗从 1721 年开始考虑二项分布的概率计算问题, 其中一个问题是: 当 $n \to \infty$ 时, 如何计算对称二项分布的中间项的概率

$$b\left(n, \frac{1}{2}, \frac{n}{2}\right) = \binom{n}{\frac{n}{2}} \left(\frac{1}{2}\right)^n = \frac{n!}{\left(\frac{n}{2}\right)! \cdot \left(\frac{n}{2}\right)!} \left(\frac{1}{2}\right)^n.$$

上式中假设了 n 为偶数. 棣莫弗经过一番复杂的推导计算, 得到如下的结果:

$$b\left(n, \frac{1}{2}, \frac{n}{2}\right) \approx 2.168 \frac{\left(1 - \frac{1}{n}\right)^n}{\sqrt{n-1}} \approx \frac{2.168\mathrm{e}^{-1}}{\sqrt{n}}.$$

1725 年, 斯特林得知了棣莫弗的研究问题和结果, 这激起了他浓厚的兴趣. 斯特林经过细致的推导, 得到了如下更加漂亮的结果:

$$b\left(n, \frac{1}{2}, \frac{n}{2}\right) \approx \sqrt{\frac{2}{\pi n}},$$

并写信告知了棣莫弗. 斯特林的结果中最引人注目的地方就是 π 的引入, 这给棣莫弗很大的启发. 基于上述二项分布的概率计算的研究, 棣莫弗最终给出了如下重要公式:

$$n! \approx C\sqrt{n} \left(\frac{n}{\mathrm{e}}\right)^n,$$

其中 C 是一个常数. 而在斯特林推导 $b\left(n, \dfrac{1}{2}, \dfrac{n}{2}\right)$

过程中引入 π 的启发下, 1730 年棣莫弗利用沃利斯公式推导出了 $C = \sqrt{2\pi}$, 也就是得到了斯特林公式

$$n! \approx \sqrt{2\pi n} \left(\frac{n}{e}\right)^n.$$

所以现代数学史研究大都认为斯特林公式的最主要贡献者是棣莫弗, 斯特林的贡献主要是启发了常数 C 的确定. 不过科学发展史中长期以来都存在一个被称为 Stigler's Law 的著名现象: 绝大多数科学成果的冠名, 大都不是历史上首位发现者的名字. 这主要是由于早年通讯不发达、信息传播成本太高导致的. 如今互联网如此发达, 学术界任何重要的科研进展都可以快速传导到世界各地, 这种问题的发生概率大大降低了.

斯特林公式自发现以来, 就吸引了众多数学家对它进行研究, 提出了多种多样的证明方法. 实际上, 从沃利斯公式出发就可以证明斯特林公式, 甚至可以进一步证明斯特林公式和沃利斯公式完全等价. 在多种证明方法中, 有一个基于概率论的非常简洁的证明思路: 利用泊松分布的特性, 再加上中心极限定理, 我们可以快速地推导出斯特林公式.

假设 $X_1, X_2, \cdots, X_n \overset{\text{iid}}{\sim} Poisson(1)$, 即它们都是服从参数 $\lambda = 1$ 的泊松分布的独立随机变量. 取 $S_n = \sum_{i=1}^{n} X_i$, 则由泊松分布的可加性, 容易知道 $S_n \sim Poisson(n)$. 由泊松分布的性质可知 S_n 的均值和方差都是 n, 利用中心极限定理可以得到, 当 n 充分大

时, 有

$$Z_n = \frac{S_n - E(S_n)}{\sqrt{\mathrm{Var}(S_n)}} = \frac{S_n - n}{\sqrt{n}} \to Z,$$

其中, Z 为标准正态分布随机变量, 相应的密度函数为

$$f(z) = \frac{1}{\sqrt{2\pi}} \mathrm{e}^{-\frac{z^2}{2}}.$$

所以, 我们有如下推导:

$$\begin{aligned}
P\{S_n = n\} &= P\{n - 1 < S_n \le n\} \\
&= P\{-\frac{1}{\sqrt{n}} < \frac{S_n - n}{\sqrt{n}} \le 0\} \\
&\approx P\{-\frac{1}{\sqrt{n}} < Z \le 0\} \\
&= \int_{-\frac{1}{\sqrt{n}}}^{0} f(z) \mathrm{d}z \\
&\approx f(0)[0 - (-\frac{1}{\sqrt{n}})] \\
&= \frac{1}{\sqrt{2\pi n}}.
\end{aligned}$$

由于 S_n 服从参数 $\lambda = n$ 的泊松分布, 实际上有

$$P\{S_n = n\} = \frac{\mathrm{e}^{-n} n^n}{n!}.$$

综合以上推导可以得到

$$\frac{\mathrm{e}^{-n} n^n}{n!} \approx \frac{1}{\sqrt{2\pi n}}.$$

上式稍微整理一下就得到斯特林公式. 这个推导的思路看起来非常初等, 但是由于中心极限定理的严

格证明非常困难, 所以不能被认为是一个严格的初等证明. 不过该推导让我们从概率角度来理解斯特林公式, 同时也解释了斯特林公式中的 π, 是由于正态分布的引入导致的.

斯特林公式非常有用, 通过它可以得出 $n!$ 非常精确的估计值. 甚至当 n 很小的时候, 斯特林公式的逼近都相当精确. 虽然 n 足够大时绝对误差可以超过任何数, 但是相对误差很小, 并且下降得非常快, 详见表 2.

然而, 斯特林对于阶乘的探究并未止步于近似计算. 斯特林长期追寻沃利斯和牛顿在插值计算方面的工作, 研究各种数列的插值问题. 例如, 自然数的加法序列 $1, 1+2, 1+2+3, 1+2+3+4, 1+2+3+4+5, \cdots$, 其通项公式可以写为 $f(n) = n(n+1)/2$, 该公式在 n 为实数的时候也是适用的. 譬如, 我们可以计算 $f\left(\dfrac{1}{2}\right)$. 直观地说, 我们找到了一条通过所有整数点 $(n, n(n+1)/2)$ 并且具有简洁的解析表达式的平滑曲线 $y = x(x+1)/2$, 从而可以把定义在整数集上的通项公式延拓到实数集合.

表 2　斯特林公式计算精度

n	1	2	5	10	100
$n!$	1	2	120	3628800	$\cdots$
斯特林公式	0.9221	1.919	118.019	3598600	$\cdots$
相对误差	8%	4%	2%	0.8%	0.08%

自然数的加法序列可以很容易地延拓到实数集合上做计算, 很自然地, 我们就会问下一个问题: 自然数的乘法序列 $1, 1 \cdot 2, 1 \cdot 2 \cdot 3, 1 \cdot 2 \cdot 3 \cdot 4, 1 \cdot 2 \cdot 3 \cdot 4 \cdot 5, \cdots$ 能否做类似的推广? 我们可以计算 $2!, 3!,$ **如何计算** $\left(\dfrac{1}{2}\right)!$**?** 读者不妨自己尝试一下, 很快就会发现, 乘法可不像加法那么容易处理, 要给出分数的阶乘定义着实有点困难. 如果把表 3 中 $(n, n!)$ 最初的一些点描在坐标轴上 (见图 4), 可以看到, 画出一条通过这些点的平滑曲线很容易, 但是如何找到一个简洁的解析表达式呢?

表 3　$n!$ 的值

n	1	2	3	4	5	6	7	8	$\cdots$
$n!$	1	2	6	24	120	720	5040	40320	$\cdots$

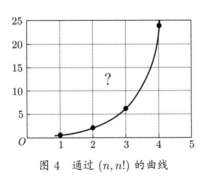

图 4　通过 $(n, n!)$ 的曲线

斯特林开始研究阶乘序列 $1!, 2!, 3!, 4!, 5!, \cdots$ 延拓到实数上的计算问题. 对于一个整数序列, 如果无法给出一个显示解析表达式把通项公式延拓到实数

集合上，一种退而求其次的方法就是利用多项式插值做近似计算. 我们知道平面上 $n+1$ 个点可以确定一条 n 次多项式曲线. 为了计算实数点对应的值，可以利用该实数点周围的 $n+1$ 个整数点去拟合一条 n 次多项式曲线，从而近似地估算实数点的值. 斯特林在 1730 年出版的一本书中描述了基于多阶差分处理序列插值的方法，这些方法本质上类似于利用多项式曲线做插值.

但是 $n!$ 这个数列的增长速度过快，如果没有计算工具的协助，要做这个序列的插值计算也绝非易事. 幸运的是对数已经被纳皮尔 (John Napier, 1550—1617) 发明出来，在数值计算上显示了神通，被科学家们广泛接纳. 斯特林和棣莫弗在他们的研究中大量地使用对数做计算，所以很自然地斯特林转而考虑对对数序列 $\log_{10} n!$ 做插值计算.

通过插值方法并结合对数运算的技巧，斯特林计算出 $\log_{10}\left(10\frac{1}{2}\right)! = 7.0755259056$，由此得到 $\left(10\frac{1}{2}\right)! = 11899423.08$. 斯特林接下来的处理非常有意思. 由于原始的阶乘数列满足递归式 $T(z) = z \cdot T(z-1)$，斯特林基于插值的原则进行推理，认为被插值的中间项 $\left(\frac{1}{2}\right)!, \left(1\frac{1}{2}\right)!, \left(2\frac{1}{2}\right)!, \cdots, \left(9\frac{1}{2}\right)!,$ $\left(10\frac{1}{2}\right)!$ 也应该满足这个递归式. 于是有

$$\left(10\frac{1}{2}\right)! = 10\frac{1}{2} \cdot 9\frac{1}{2} \cdot \cdots \cdot 1\frac{1}{2} \cdot \left(\frac{1}{2}\right)!,$$

上式中代入 $(10\frac{1}{2})!$ 的值, 然后计算得到

$$\left(\frac{1}{2}\right)! = 0.8862269251.$$

这个结果初看起来平淡无奇, 然而斯特林天才地指出, 上式实际上应该是

$$\left(\frac{1}{2}\right)! = \frac{\sqrt{\pi}}{2}. \tag{6}$$

居然出现了 π, 这真是一个令人惊诧的结果!

我们不太确定斯特林是如何推断出 (6) 式的, 因为在斯特林的论述中他只是把 $\left(\frac{1}{2}\right)!$ 的计算结果和 $\frac{\sqrt{\pi}}{2}$ 做了数值比较, 并没有进行严谨的数学推导, 所以看起来好像是数值对比后猜测的结果. 即便如此, 这也展示了斯特林强大的数学直觉.

考虑到我们熟悉的斯特林公式是斯特林和棣莫弗共同创造的, 斯特林要利用他的插值过程更加严谨地推导这个结果其实也很容易, 虽然没有证据表明斯特林做过这种推导. 基于斯特林对 $\log_{10} n!$ 的插值处理方法, 如果我们只是使用一次多项式 (即直线) 做插值处理, 那么中间项的插值就是两端的算术平均

$$\log_{10}\left(n + \frac{1}{2}\right)! = \frac{\log_{10} n! + \log_{10}(n+1)!}{2}.$$

所以

$$\left(n + \frac{1}{2}\right)! = \sqrt{n!(n+1)!} = n!\sqrt{n+1},$$

把递归式 $T(z) = z \cdot T(z-1)$ 应用于 $\left(n + \dfrac{1}{2}\right)!$ 可以得到

$$\left(n + \frac{1}{2}\right)! = \left(n + \frac{1}{2}\right) \cdot \left(n - \frac{1}{2}\right) \cdot \ \cdots \ \cdot \frac{3}{2} \cdot \left(\frac{1}{2}\right)!.$$

利用斯特林公式推导可以得到

$$\begin{aligned}
\left(\frac{1}{2}\right)! &= \frac{n!\sqrt{n+1}}{\left(n + \dfrac{1}{2}\right) \cdot \left(n - \dfrac{1}{2}\right) \cdot \ \cdots \ \cdot \dfrac{3}{2}} \\
&= \frac{\sqrt{n+1} \cdot 2^{2n} \cdot n! \cdot n!}{(2n+1)!} \\
&\approx \frac{\sqrt{n+1} \cdot 2^{2n} \cdot \sqrt{2\pi n}\left(\dfrac{n}{e}\right)^n \cdot \sqrt{2\pi n}\left(\dfrac{n}{e}\right)^n}{\sqrt{2\pi(2n+1)}\left(\dfrac{2n+1}{e}\right)^{2n+1}} \\
&= \frac{\sqrt{\pi}}{2} \cdot \frac{e}{\left(1 + \dfrac{1}{2n}\right)^{2n}} \cdot \frac{\sqrt{2n+2} \cdot 2n}{\sqrt{2n+1} \cdot (2n+1)} \\
&\to \frac{\sqrt{\pi}}{2} \quad (n \to \infty).
\end{aligned}$$

斯特林的插值研究成果发表于 1730 年出版的 *Methodus Differentialis* 中, 原书由拉丁文写成, 数学工作者把它翻译成了英文, 并对斯特林的研究成果提供评论, 使得我们有机会追寻斯特林研究的原始足迹. 基于强大的斯特林公式, 斯特林可以对 $n!$ 进行便捷的近似计算, 进一步基于多项式插值的思路, 斯特林也已经可以近似计算 n 为分数时的阶乘. 有点遗憾的是, 斯特林的思路停留在数值近似计算上, 没有把 $n!$ 到分数的延拓更细致地追究下去.

图 5　斯特林的墓碑

三、三封信 —— 伽马函数的诞生

在 17, 18 世纪通讯不发达的年代, 信在科学家的沟通交流中承载了极其重要的作用. 大量著名的科学研究成果是在科学家的私人笔记、朋友通信之中被首次记录的, 甚至许多重要的研究成果都尘封在笔记、信件之中未被正式发表. 因此大师的笔记、信件都成了科学史研究的重要资料. 伽马函数这个重要的数学函数, 在数学史上的首次现身就是在数学家的信件中.

当斯特林着迷于他的阶乘插值研究的时候, 无独有偶, 同一时代的另一位数学家哥德巴赫, 几乎在同一时间也在思考阶乘推广到分数的问题. 哥德巴赫的名字在中国可以说是家喻户晓. 由于中国数学家在数论领域的杰出成就, 和素数相关的哥德巴赫猜想作为数学皇冠上的明珠就一直吸引着无数中国人的目光. 哥德巴赫一生对数列的插值问题都保持浓厚的兴趣, 他很早就开始考虑阶乘的插值问题. 不同于斯特林的思路, 哥德巴赫并不满足于近似数值计算, 而是希望能找到一个简洁的通项公式, 既可以准确地描述整数的阶乘 $n!$, 又能够推广到分数情形. 做了一些努力尝试之后哥德巴赫发现自己无法解决这个问题. 幸运的是他交友广泛, 和当时许多著名的数学家都有联系, 包括莱布尼茨以及数学史中出了最多位数学家的伯努利家族. 分数阶乘的问题困扰哥德巴赫多年, 他不停地思考, 也时常请教他的朋友. 1722 年他找尼古拉斯·伯努利讨论, 不过没有取得实质性进展; 1729 年他又把问题呈现给了尼古拉斯的弟弟丹尼尔·伯努利, 丹尼尔于当年 10 月给哥德巴赫的一封信中给出了漂亮的解答.

图 6 哥德巴赫和丹尼尔·伯努利

丹尼尔解决分数阶乘的思路非常漂亮: **突破有限, 取道无穷!** 不拘泥于有限, 而是直接跳跃到无穷乘积的形式来考虑阶乘的插值. 丹尼尔发现, 如果 m, n 都是正整数, 当 $m \to \infty$ 时, 有

$$\frac{1 \cdot 2 \cdot 3 \cdot \cdots \cdot m}{(1+n)(2+n)\cdots(m-1+n)}\left(m+\frac{n}{2}\right)^{n-1} \to n!.$$

利用这个无穷乘积的方式可以把 $n!$ 的定义自然地延拓到实数集. 例如, 取 $n = 2.5$, m 足够大, 基于上式就可以近似计算出 2.5!; 而当 m 趋向无穷的时候, 上式的极限就是 2.5! 的精确值. 丹尼尔是如何灵光乍现想到用无穷乘积的思路去解决问题的, 我们无从知晓. 他能够从有限插值的围墙中跳出, 足以显示他优秀的数学才能. 无穷在整个数学发展史中发挥着巨大的作用, 笔者不敢妄加评论 20 世纪之后的数学, 然而如果说 "无穷是数学发展的发动机", 在 20 世纪之前, 这句评论应该不会过分. 历次数学危机是因为无穷而产生, 几次数学的重大进展和飞跃也是由于数学家更加深刻地认识了无穷.

丹尼尔的这封信成功地解决了整数阶乘到分数的推广问题, 它犹如蒙蒙细雨, 唤醒了伽马函数的种子, 只是种子还很虚弱, 在土中默默地等待着一位数学大师的灌溉.

年轻的欧拉当时正和丹尼尔·伯努利一块在圣彼得堡, 他也因此得知了分数阶乘的问题. 欧拉和伯努利家族有着深厚的渊源, 他是约翰·伯努利 (Johann Bernoulli, 1667—1748) 的学生, 这位约翰也就是尼古拉斯和丹尼尔的父亲. 我们应该感谢约翰·伯努利, 正是他发现并培养了欧拉的数学才能. 在尼古拉斯和丹尼尔的推荐之下, 年轻的欧拉于 1727 年在圣彼得堡科学院获得了一个职位. 受到丹尼尔·伯努利的思路的启发, 欧拉也采用无穷乘积的方式给出了另外一个 $n!$ 的公式, 即

$$\left[\left(\frac{2}{1}\right)^n \frac{1}{n+1}\right]\left[\left(\frac{3}{2}\right)^n \frac{2}{n+2}\right]\left[\left(\frac{4}{3}\right)^n \frac{3}{n+3}\right]\cdots = n!.$$
$$(7)$$

用极限形式, 这个式子可以写为

$$\lim_{m\to\infty} \frac{1\cdot 2\cdot 3\cdots m}{(1+n)(2+n)\cdots(m+n)}(m+1)^n = n!. \quad (8)$$

欧拉实际上在他的论文中描述了发现上述式子的思路, 我们不在此赘述. 上式成立其实很容易证明. 左边可以整理为

$$\frac{1\cdot 2\cdot 3\cdots m}{(1+n)(2+n)\cdots(m+n)}(m+1)^n$$

$$= \frac{1\cdot 2\cdot 3\cdots n(n+1)(n+2)\cdots m(m+1)^n}{(1+n)(2+n)\cdots m(m+1)(m+2)\cdots(m+n)}$$

$$= 1\cdot 2\cdot 3\cdots n \frac{(n+1)(n+2)\cdots m}{(1+n)(2+n)\cdots m}\cdot$$

$$\frac{(m+1)^n}{(m+1)(m+2)\cdots(m+n)}$$

$$= n!\frac{(m+1)^n}{(m+1)(m+2)\cdots(m+n)}$$

$$= n!\prod_{k=1}^{n}\frac{m+1}{m+k}$$

$$\to n! \qquad (m\to\infty).$$

所以 (7), (8) 式都成立.

由于 (7) 式对于 n 为分数的情形也适用, 所以欧拉实际上也把 $n!$ 的计算推广到了分数的情形. 欧拉给的无穷乘积相比丹尼尔的无穷乘积有什么更出

色的地方吗? 实际上后人的验证指出, 就收敛到 $n!$ 的速度而言, 丹尼尔的无穷乘积比欧拉的要快得多, 然而欧拉的无穷乘积公式却是 "能够下金蛋的鸡". 欧拉极其擅长数学的观察与归纳, 他开始尝试从一些简单的例子做分数阶乘的计算, 看看是否有规律可循. 当 $n = \dfrac{1}{2}$ 的时候, 代入 (7) 式, 可以得到

$$
\begin{aligned}
\left(\frac{1}{2}\right)! &= \sqrt{\frac{2}{1} \cdot \frac{2}{3}} \cdot \sqrt{\frac{3}{2} \cdot \frac{4}{5}} \cdot \sqrt{\frac{4}{3} \cdot \frac{6}{7}} \cdot \sqrt{\frac{5}{4} \cdot \frac{8}{9}} \cdots \\
&= \sqrt{\frac{4}{2} \cdot \frac{2}{3}} \cdot \sqrt{\frac{6}{4} \cdot \frac{4}{5}} \cdot \sqrt{\frac{8}{6} \cdot \frac{6}{7}} \cdot \sqrt{\frac{10}{8} \cdot \frac{8}{9}} \cdots \\
&= \sqrt{\frac{4}{3} \cdot \frac{2}{3}} \cdot \sqrt{\frac{6}{5} \cdot \frac{4}{5}} \cdot \sqrt{\frac{8}{7} \cdot \frac{6}{7}} \cdot \sqrt{\frac{10}{9} \cdot \frac{8}{9}} \cdots \\
&= \sqrt{\frac{2}{3} \cdot \frac{4}{3} \cdot \frac{4}{5} \cdot \frac{6}{5} \cdot \frac{6}{7} \cdot \frac{8}{7} \cdot \frac{8}{9} \cdot \frac{10}{9} \cdots}.
\end{aligned}
$$

对照一下根号内的式子和沃利斯公式 (2), 几乎是一模一样! 只是最前面差了一个因子 2. 欧拉自然非常熟悉沃利斯的工作, 基于沃利斯公式, 欧拉迅速得到了一个令他惊讶的结果

$$
\left(\frac{1}{2}\right)! = \frac{\sqrt{\pi}}{2}.
$$

真是殊途同归! 对于阶乘在分数 $\dfrac{1}{2}$ 上的推广, 欧拉得到了和当年斯特林相同的结果. 欧拉继续尝试计算更多分数的阶乘. 欧拉给出的无穷乘积也满足阶乘的递归式 $T(z) = zT(z-1)$, 结合递归式欧拉计算了其他几个分数, 包括 $\dfrac{5}{2}, \dfrac{1}{4}, \dfrac{3}{4}, \dfrac{1}{8}, \dfrac{3}{8}$ 的阶乘. 在丹尼尔的鼓励之下, 欧拉把自己的公式以及一些分

图 7　原瑞士法郎上的欧拉

数阶乘的计算结果写信告知了哥德巴赫, 这封信开启了欧拉和哥德巴赫之间一生的通信交流. 两人在接下来的 35 年里连续通信达到 196 封, 这些信函成为了数学家研究欧拉的重要资料. 也正是哥德巴赫激发了欧拉对数论的兴趣, 著名的哥德巴赫猜想的首次现身就是在哥德巴赫写给欧拉的一封信中.

　　欧拉的这封信把分数阶乘的问题, 又扎实地向前推进了一步. 犹如一场春雨, 随风潜入夜, 润物细无声, 伽马函数的种子在土里发芽了, 它积蓄着力量, 等待着最后的灌溉和破土而出.

　　欧拉是具有超凡数学直觉的一流数学家, 他注意到 $\left(\dfrac{1}{2}\right)!$ 中居然有 π, 这引起他的深思. 对于擅长数学分析的数学家而言, 有 π 的地方必然有和圆相关的积分. 由于沃利斯的时代微积分理论还没有被系统地发明出来, 沃利斯使用插值的方式做推导计算, 但是沃利斯公式的推导过程本质上就是在处理积分. 因此欧拉猜测 $n!$ 应该可以表达为某种积分形式. 如果说沃利斯当年发现他的公式只是无心插柳, 那后继者欧拉对于阶乘向分数推广的研究将开垦出一片绿洲.

受沃利斯工作的启发, 欧拉开始考虑如下一般形式的积分

$$J(r, n) = \int_0^1 x^r (1-x)^n \mathrm{d}x,$$

此处 n 为正整数, r 为正实数. 利用分部积分法, 很容易证明

$$J(r, n) = \frac{n}{r+1} J(r+1, n-1).$$

重复使用上述迭代公式, 最终可以得到

$$J(r, n) = \frac{1 \cdot 2 \cdot \cdots \cdot n}{(r+1)(r+2)\cdots(r+n+1)}.$$

于是欧拉得到如下一个重要的式子:

$$n! = (r+1)(r+2)\cdots(r+n+1) \int_0^1 x^r (1-x)^n \mathrm{d}x. \quad (9)$$

在这个公式里欧拉实际上已经成功地把 $n!$ 表示成了积分的形式. 然而 $(r+1)(r+2)\cdots(r+n+1)$ 这个表达式限制了 n 只能为整数, 无法推广到分数的情形. 能否简化这个积分表达式, 让 r 从积分式子中消失呢? 要让一个量从一个数学等式中消失, 数学家惯用的手法之一就是让这个量取一个极端的值, 譬如无穷. 在通往无穷的路途中, 宇宙的奥秘往往被数学家窥视. 欧拉开始通过数学变换技巧让 r 趋向

于无穷取值, 取 $r = \dfrac{f}{g}$, 稍微整理一下可以得到

$$\frac{n!}{(f+g)(f+2g)\cdots(f+ng)}$$
$$= \frac{f+(n+1)g}{g^{n+1}} \int_0^1 x^{\frac{f}{g}}(1-x)^n \mathrm{d}x,$$

然后令 $f \to 1, g \to 0$, 显然上式左边趋于 $n!$, 右边会发生什么情况呢? 为了简化计算, 令 $x = t^h, h = \dfrac{g}{f+g}$, 整理之后上式可以变换为

$$\frac{n!}{(f+g)(f+2g)\cdots(f+ng)}$$
$$= \frac{f+(n+1)g}{g^{n+1}} \int_0^1 h(1-t^h)^n \mathrm{d}t$$
$$= \frac{f+(n+1)g}{(f+g)^{n+1}} \int_0^1 \left(\frac{1-t^h}{h}\right)^n \mathrm{d}t. \tag{10}$$

当 $f \to 1, g \to 0$ 时, 显然有 $h \to 0$, 利用洛必达法则, 我们可以得到微积分中一个熟知的式子

$$\lim_{h \to 0} \frac{1-t^h}{h} = -\log t.$$

由此, 对 (10) 式两边取极限, 奇迹出现了, 有

$$n! = \int_0^1 (-\log t)^n \mathrm{d}t. \tag{11}$$

原来积分式中的 r 消失了, 欧拉成功地把 $n!$ 表达为了一个非常简洁的积分形式! 对上式再做一个变换 $t = \mathrm{e}^{-\lambda}$, 就得到我们常见的伽马函数形式

$$n! = \int_0^\infty \lambda^n \mathrm{e}^{-\lambda} \mathrm{d}\lambda. \tag{12}$$

把 (11) 和 (12) 式从正整数 n 延拓到任意实数 x, 我们就得到伽马函数的一般形式

$$\Gamma(x+1) = \int_0^1 (-\log t)^x \mathrm{d}t = \int_0^\infty t^x \mathrm{e}^{-t} \mathrm{d}t.$$

图 8 为 $\Gamma(x)$ 在 x 轴正半轴的图像.

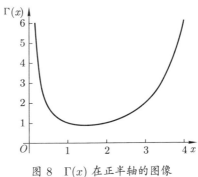

图 8　$\Gamma(x)$ 在正半轴的图像

　　1730 年欧拉把他推广得到的 $n!$ 的积分形式再次写信告知了哥德巴赫, 欧拉的这封信犹如春雷惊起千年蛰, 伽马函数破土而出, 年仅 23 岁的欧拉完美地解决了困扰哥德巴赫多年的分数阶乘的问题. 而伽马函数这颗嫩芽生命力旺盛, 在接下来的几百年中, 将接受众多的数学大师们的灌溉培育, 开始茁壮成长.

　　回味欣赏一下欧拉推导伽马函数的过程, 我们会觉得整个过程清晰、流畅、自然, 这就是欧拉做数学研究的风格. 欧拉和高斯都是历史上具有超凡直觉的一流数学家, 但是两位数学大师做数学研究的风格却迥然不同. 高斯在数学上严谨细致, 呈现研究

结果小心谨慎. 他的格言是 "当一幢建筑物完成时, 应该把脚手架拆除干净", 所以高斯发表研究结果的时候常把思考的痕迹抹去, 只留下那些漂亮、令人惊叹、却难以追根溯源的结果, 这招致了一些数学家对高斯的批评. 而欧拉的风格不同, 他经常通过经验直觉做非常大胆的猜测, 然后小心细致地求证, 欧拉的文章中留下了许多做数学猜想的痕迹, 中间的证明过程有时不够严谨, 但是最终的结论却极少出错. 欧拉总是把最基本的东西解释得尽量清楚, 讲明引导他得出结论的思路. 他的数学技巧超凡脱俗, 时常把看似不相关的数学式子糅合在一起变换出惊人而富有创造性的结论, 读者要理解他的思路与结论却并不困难. 拉普拉斯曾说过: "读读欧拉, 他是我们所有人的老师." 而高斯的评价是: "学习欧拉的著作, 乃是认识数学的最好工具." 数学家波利亚在他的名著《数学与猜想》中列举了许多欧拉做数学研究的

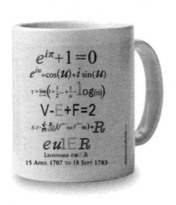

图 9　欧拉的数学发现

例子, 对欧拉做数学归纳和猜想的方式推崇备至.

欧拉被称为分析学的化身, 在分析学中, 无出其右者. 欧拉的老师约翰·伯努利在给欧拉的信中这样评价欧拉的工作: "我介绍高等分析的时候, 它还是个孩子, 而你正在将它带大成人." 希尔伯特说 "分析学是无穷的交响曲", 欧拉显然是无穷分析中最出色的作曲家. 欧拉二百多年前写的教科书《无穷分析引论》至今还在不断地印刷, 2013 年出版了中文翻译版本. 布尔巴基学派的灵魂人物韦伊 (André Weil, 1906—1998) 1979 年在 Rochester 大学的一次讲演中说: "今天的学生从欧拉的《无穷分析引论》中所能得到的益处, 是现代任何一本数学教科书都比不上的."

许多人把数学比作音乐, 把欧拉称作数学界的贝多芬. 因为贝多芬在两耳失聪之后继续谱写了大量著名的交响曲, 而欧拉在 60 岁左右双目失明之后仍然以口述形式完成了几本书和 400 多篇论文, 在数学上变得更加多产. 数学界从 1911 年开始出版《欧拉全集》, 耗费了一个世纪的时间, 已经出版了 70 余卷, 25000 多页, 而这项庞大的出版任务还仍处于未完成状态.

四、$\Gamma(n) = (n-1)!$ 还是 $\Gamma(n) = n!$

伽马函数找到了, 我们来看看第二个问题, 为何伽马函数被定义为满足 $\Gamma(n) = (n-1)!$!? 如果我们对参数稍微做一点移位修正, 把伽马函数定义中的 t^{x-1} 替换为 t^x, 有

$$\Gamma(x) = \int_0^\infty t^x \mathrm{e}^{-t} \mathrm{d}t,$$

使得伽马函数满足 $\Gamma(n) = n!$, 这样不是更加自然吗? 这个问题也是理科背景的学生学习高等数学时的 FAQ (frequently asked question), 然而答案却一直有些争议.

伽马函数被发现以后, 在早期的数学文献中的形态并不统一. 实际上, 欧拉最早引入的伽马函数定义还真是如上所示, 满足 $\Gamma(n) = n!$. 而高斯在研究伽马函数的时候, 是用符号 Π 来定义, 即

$$\Pi(x) = \int_0^\infty t^x \mathrm{e}^{-t} \mathrm{d}t,$$

不过这个定义并没有流传开来. 伽马函数在数学界的形态的最终统一要归功于勒让德 (如图 10).

图 10　勒让德肖像

欧拉在伽马函数的推导中实际上引入了两类积分形式

$$\int_0^1 t^x(1-t)^y \mathrm{d}t, \qquad \int_0^\infty t^x \mathrm{e}^{-t} \mathrm{d}t.$$

现在分别称为欧拉第一类积分和欧拉第二类积分. 勒让德追随欧拉的脚步, 发表了多篇论文, 对欧拉积分进行了深入的研究和推广. 有意思的是, 在勒让德的研究中, 对积分中的参数做了 -1 的移位修改, 定义为

$$\mathrm{B}(x,y) = \int_0^1 t^{x-1}(1-t)^{y-1} \mathrm{d}t,$$

$$\Gamma(x) = \int_0^\infty t^{x-1}\mathrm{e}^{-t}\mathrm{d}t.$$

$\mathrm{B}(x, y)$ 现在称为贝塔积分或者贝塔函数. 而基于上式的伽马函数定义导致了 $\Gamma(n) = (n-1)!$, 这同时也是首次引入 Γ 符号给伽马函数冠名. 勒让德给出的伽马函数定义被法国数学家广泛采纳并在世界范围推广, 最终使得这个定义在现代数学中成为了既成事实.

什么原因驱使勒让德选择 $\Gamma(n) = (n-1)!$ 的定义呢? 这成为一个谜, 没有明确的解释. 数学史研究者们对欧拉的研究表明, 在 $1730 \sim 1768$ 年之间, 欧拉自己在研究一类积分的时候, 对积分参数做了 -1 的移位修改, 从而明确地引入了贝塔积分, 而这个修改显然被勒让德注意到了. 什么原因使欧拉和勒让德引入 -1 移位修改呢? 后来的数学家们给出了一些猜测, 一个可能的原因是这两位数学大师注意到, 按照现代伽马函数的定义, 有

$$\mathrm{B}(x, y) = \frac{\Gamma(x)\Gamma(y)}{\Gamma(x+y)}, \tag{13}$$

$\mathrm{B}(x, y)$ 具有非常漂亮的对称形式. 如果选取高斯给出的 $\Pi(n) = n!$ 的定义, 则有

$$\mathrm{B}(x, y) = \frac{\Pi(x)\Pi(y)}{\Pi(x+y+1)},$$

这个形式显然不如 (13) 式具有简洁的对称美, 数学家总是非常在乎数学公式的美感的.

还有一个类似的解释是从抽象代数的角度提出

的, 考虑伽马分布的概率密度函数

$$f_\alpha(x) = \begin{cases} \dfrac{x^{\alpha-1}\mathrm{e}^{-x}}{\Gamma(\alpha)} & , x > 0, \\ 0 & , x \leq 0 \end{cases}$$

形成的集合 $\{f_\alpha | \alpha > 0\}$, 那么该集合在卷积运算 $*$ 之下构成一个抽象代数中的半环, 即满足

$$f_\alpha * f_\beta = f_{\alpha+\beta}.$$

采用 $\Pi(x)$ 的定义则无法得到类似的结果.

对于伽马函数定义中 -1 参数移位的合理性, 现代数学家还提供了一个额外的解释, 当然这个解释和欧拉、勒让德的选择并无关系. 这个更具启发性的解释也是从抽象代数角度描述的. 对伽马函数

$$\Gamma(x) = \int_0^\infty \mathrm{e}^{-t} t^{x-1} \mathrm{d}t$$

做一个线性变换 $h : t \to ct$, 可以得到如下函数:

$$\frac{\Gamma(x)}{c^x} = \int_0^\infty \mathrm{e}^{-ct} t^x \frac{\mathrm{d}t}{t}. \tag{14}$$

此处, $\mathrm{d}t/t = \mathrm{d}\log t$ 可以被看成是乘法群 $(0, \infty)$ 上的一个不变测度, 在伸缩变换下满足不变性, 即

$$\frac{\mathrm{d}(ct)}{ct} = \frac{\mathrm{d}t}{t}.$$

而积分式中的 e^{-ct} 对应于群上的一个加法特征 (additive character) f, 满足

$$f(t + s) = f(t) \cdot f(s),$$

t^x 对应于群上的一个乘法特征 (multiplicative character) g, 满足

$$g(t \cdot s) = g(t) \cdot g(s).$$

由于积分表示的是求和, 所以 (14) 式被看成是乘法群 $(0, \infty)$ 上加法特征和乘法特征混合乘积的累积求和. 基于这个分解, 只要在抽象代数的有限域上定义了 f 和 g 这两个映射, (14) 式中在实数域上定义的 $\dfrac{\Gamma(x)}{c^x}$ 函数就可以被推广到有限域上进行定义, 只是无限求和的积分号 $\int$ 需要被替换为有限求和符号 Σ. 进一步, 借用贝塔函数和伽马函数满足的关系式 (13), $B(x, y)$ 也可以完全类似地在有限域中定义, 这种推广也同样具有简洁的对称美.

五、伽马函数欣赏

　　伽马函数从它诞生开始就备受青睐, 众多数学大师们对它追逐研究, 包括高斯、勒让德、魏尔斯特拉斯、刘维尔等. 数学家发现这个函数拥有大量奇特的性质, 为解决众多重要的数学问题搭建了桥梁.

　　由于阶乘存在一个斯特林公式, 所以伽马函数作为阶乘的推广, 首先也满足如下的斯特林公式:

$$\Gamma(x) \approx \sqrt{2\pi} \mathrm{e}^{-x} x^{x-\frac{1}{2}}.$$

　　数是我们在数学中接触的最普通的概念, 然而人类在对数系的认识的道路上却布满了荆棘与坎坷. 从整数到分数、有理数到无理数、实数到复数, 这些数的概念的理解却是累积了千年的沉淀, 背后隐藏了多少代数学家的汗水. 数学家对数的思考常常拥有惊世骇俗的思维: 每一个实数都可以计算阶乘, **那复数可以计算阶乘吗?** 数学家给我们提供了神奇的答案: 我们不仅可以计算 $(-7.5)!$, $\left(\dfrac{1}{2}\right)!$, $\pi!$, 我们甚至可以计算 $\left(\dfrac{1}{2} + \dfrac{1}{3}\mathrm{i}\right)!$. 阶乘的概念居然可以延拓到复数, 这真是太不可思议了! 其实理由很简单: 因为积分的概念可以被延拓到整个复平面上. 实际上, 18 世纪的数学家们着手开垦复变函数理论这片沃土之后, 基于积分定义的伽马函数被延拓到整个复平面上 (如图 11) 自然就不足为奇了.

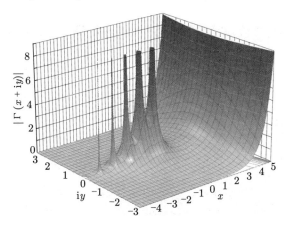

图 11　复平面上的伽马函数

除了阶乘, 伽马函数貌似离我们很遥远, 日常生活中看不到它的影子, 其实伽马函数栖身于众多我们熟悉的事物之中. 譬如, 我们最为常见的圆、球就和伽马函数紧密相关. 我们知道圆的面积为 πr^2, 球的体积为 $\frac{4}{3}\pi r^3$, 那半径为 r 的 n 维球的体积 (如图 12) 是多少呢? 这个体积是如下多重积分:

$$V_n(r) = \underset{\{(x_1, \cdots, x_n) \mid \sum x_i^2 < r^2\}}{\int \cdots \int} 1 \quad \mathrm{d}x_1 \mathrm{d}x_2 \cdots \mathrm{d}x_n.$$

这个计算需要一点想象力, 实际上可以很容易地

证明

$$V_n(r) = \frac{\pi^{\frac{n}{2}} r^n}{\Gamma(\frac{n}{2} + 1)}.$$

瞧, n 维球的体积公式完全依赖于伽马函数, 我们日常熟悉的圆的面积、球的体积公式不过是它的特例而已.

图 12 n 维球的体积

伽马函数还有很多妙用, 它能扩展一些重要的数学概念, 譬如导数. 我们学习过一阶、二阶等整数阶导数, 而数学家却追问一个令人脑洞大开的问题: **我们能定义分数阶的导数吗?** 这个问题太令人难以捉摸了, 恐怕读者们完全无法想象什么叫分数阶的导数. 然而这个问题却历史悠久, 早年莱布尼茨研究微积分的时候就提出来过这个问题, 只是没有获得实质性进展. 欧拉给出了伽马函数之后, 也开始研究分数阶导数的问题, 并给出了如下非常具有启发性的想法. 我们观察一下函数 $f(x) = x^n$ 的各阶

导数

$$f'(x) = nx^{n-1}$$
$$f''(x) = n(n-1)x^{n-2}$$
$$f^{(3)}(x) = n(n-1)(n-2)x^{n-3}$$
$$\cdots\cdots\cdots\cdots$$
$$f^{(k)}(x) = n(n-1)(n-2)\cdots(n-k+1)x^{n-k}$$
$$= \frac{n!}{(n-k)!}x^{n-k}.$$

上式最后一行, 我们发现 k 阶导数是用阶乘来表达的, 于是可以用伽马函数重写为

$$f^{(k)}(x) = \frac{\Gamma(n+1)}{\Gamma(n-k+1)}x^{n-k}.$$

伽马函数大显身手的机会来了! 基于上式, 取 $n = 1, k = \frac{1}{2}$, 我们就可以计算 $f(x) = x$ 的 $\frac{1}{2}$ 阶导数为

$$x^{(\frac{1}{2})} = \frac{\Gamma(1+1)}{\Gamma\left(1-\frac{1}{2}+1\right)}x^{1-\frac{1}{2}} = \frac{2\sqrt{x}}{\sqrt{\pi}}.$$

显然以上计算过程对于 n, k 为任意实数的情形都适用, 于是我们就很自然地把 x^n 的导数的定义从整数阶延拓到分数阶.

那一般的可导函数 $f(x)$ 可以定义分数阶导数吗? 一般的函数 $f(x)$ 可以通过泰勒级数展开表达为幂级数, 所以欧拉很容易想到借用 x^n 的分数阶导数来定义出任意可导函数的分数阶导数. 这种简

单的方式确实能够处理不少函数, 遗憾的是在某些函数上由于不能满足收敛性要求, 因而定义是失效的. 虽然欧拉没能够在函数的分数阶导数的问题上进一步深入, 但是他的这个思路给后来的数学家打开了一道门, 这门通向数学分析中的一个神奇的世界: 分数阶微积分 (fractional calculus). 一般可导函数的分数阶导数在这个世界中都是有意义的, **甚至积分运算也可以有分数阶**, 因为积分运算是导数的逆运算. 这听起来是不是很有趣? 而伽马函数正是开启这道奇妙之门的魔法钥匙.

数学家擅长刨根问底, 从各个角度考察他们发现和创造的数学实体. 整数阶乘被欧拉推广到伽马函数之后, 紧接着被问的一个问题是: **伽马函数是整数阶乘唯一的推广函数吗?** 答案却是否定的, 丹尼尔·伯努利最早的无穷乘积推广就已经说明了存在多种推广延拓的方式. 譬如 $\Gamma(x)\cos(2x\pi)$ 这个函数显然也满足把阶乘延拓到实数集. 那伽马函数凭什么鹤立鸡群、集万千数学家的宠爱于一身呢? 从伽马函数的图像我们可以看到它是一个凸函数. 凸函数是数学家们宠爱的对象, 一个函数是凸函数往往意味着它有众多良好的性质. 那伽马函数是唯一的满足凸性的阶乘函数吗? 答案还是否定的. 但是数学家发现不仅 $\Gamma(x)$ 是一个凸函数, $\log \Gamma(x)$ 也是一个凸函数 (如图 13), 这可是难得一见的优良品质. 实际上可以证明如下定理:

定理 (Bohr-Mollerup 定理) 如果 $f : (0, \infty) \to (0, \infty)$, 满足

1. $f(1) = 1$;
2. $f(x + 1) = xf(x)$;
3. $\log f(x)$ 是凸函数,

那么 $f(x) = \Gamma(x)$.

一言以蔽之: 伽马函数拥有优良血统, 它是唯一的在取对数后还满足凸性的阶乘推广函数.

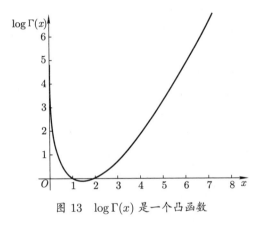

图 13 $\log \Gamma(x)$ 是一个凸函数

伽马函数像是一位神奇的魔术师, 时常从黑色帽子中拉出活蹦乱跳的兔子, 令人惊诧不已. 伽马函数有不少等价的表示形式和神奇的结果. 高斯给出的伽马函数的形式是

$$\Gamma(x) = \lim_{n \to \infty} \frac{n^x n!}{x(x+1)(x+2) \cdots (x+n)}.$$

欧拉证明了如下一个漂亮的反射公式:

$$\Gamma(x)\Gamma(1 - x) = \frac{\pi}{\sin(\pi x)}.$$

看! 伽马函数和我们最为熟悉的三角函数发生了紧密的关联. 魏尔斯特拉斯把高斯的伽马函数形式简单地做一下变换, 就得到表达为无穷乘积的如下结果:

$$\Gamma(x) = \frac{1}{xe^{\gamma x}} \prod_{k=1}^{\infty} \frac{e^{\frac{x}{k}}}{1 + \frac{x}{k}}.$$

此处 $\gamma \approx 0.5772156649\cdots$ 为欧拉常数. 这个结果在复平面上也成立. 受伽马函数的这个分解形式的启发, 魏尔斯特拉斯发现复平面上任意整函数 $f(z)$ 都可以分解为无穷乘积形式. 之前在介绍沃利斯公式的时候, 提到了欧拉发现的 $\sin x$ 的无穷乘积展开式 (3), 我们也说过这个展开式的证明并不算简单. 实际上, 基于魏尔斯特拉斯这个伽马函数的无穷乘积形式和欧拉的反射公式, 整理简化一下 $\Gamma(1+x)\Gamma(1-x)$, 就可以得到对 (3) 式的一个简洁的证明.

数论号称数学上的皇冠. 伽马函数看起来和数论八竿子打不着, 却在这顶皇冠之中熠熠生辉. 伽马函数和欧拉常数 γ 有密切关系, 可以发现

$$\begin{aligned}
\gamma &= -\frac{d\Gamma(x)}{dx}\Big|_{x=1} \\
&= \lim_{n \to \infty} \left(1 + \frac{1}{2} + \frac{1}{3} + \cdots + \frac{1}{n} - \log n\right).
\end{aligned}$$

欧拉常数 γ 是一个神奇的常数, 它到底是一个有理数还是一个无理数? 数学家们至今都耿耿于怀. 进一步还可以发现伽马函数和黎曼泽塔函数

$$\zeta(s) = 1 + \frac{1}{2^s} + \frac{1}{3^s} + \cdots$$

有着密切联系. 黎曼发现了如下式子:

$$\zeta(x)\Gamma(x) = \int_0^\infty \frac{u^{x-1}}{e^u - 1}\mathrm{d}u,$$

$$\zeta(x) = \zeta(1-x)\Gamma(1-x)2^s\pi^{s-1}\sin\left(\frac{\pi x}{2}\right).$$

这可了不得! ζ 函数在解析数论中有着举足轻重的
地位, 它涉及数学中极其著名的素数分布定理和黎
曼猜想, 而以上两个式子在分析黎曼猜想过程中有
重要作用. 数学家蒙哥马利有一句名言: "假如你是
一个魔鬼, 引诱数学家用自己的灵魂来换取一个定
理的证明, 多数数学家会想要换取的会是什么定理
呢, 我想会是黎曼猜想." 而希尔伯特曾说过, 如果他
在沉睡 1000 年后醒来, 他将问的第一个问题便是:
黎曼猜想得到证明了吗?

前面提到了 $\log\Gamma(x)$ 是一个凸函数. 对这个函
数求导得到的函数

$$\Psi(x) = \frac{\mathrm{d}\log\Gamma(x)}{\mathrm{d}x}$$

被称为 Digamma 函数. 可以证明

$$\Psi(x) = -\gamma + (x-1) - \frac{(x-1)(x-2)}{2\cdot 2!} +$$
$$\frac{(x-1)(x-2)(x-3)}{3\cdot 3!} - \cdots.$$

这也是一个很重要的函数, 具有如下漂亮的性质:

$$\Psi(x+1) = \Psi(x) + \frac{1}{x}.$$

基于这个递归性质, 把上式在正整数上作递归展开

就得到调和级数 $1+\dfrac{1}{2}+\dfrac{1}{3}+\dfrac{1}{4}+\cdots$, 所以 $\Psi(x)$ 在调和级数研究中扮演重要角色. 进一步, 函数 $\Psi(x)$ 和欧拉常数 γ 以及 ζ 函数都有密切关系. 令

$$\Psi_n(x) = \frac{\mathrm{d}^{n+1}\log\Gamma(x)}{\mathrm{d}x^{n+1}},$$

可以证明

$$\Psi_1(x) = \frac{\mathrm{d}^2\log\Gamma(x)}{\mathrm{d}x^2} = \frac{1}{x^2}+\frac{1}{(x+1)^2}+\frac{1}{(x+2)^2}+\cdots.$$

对于几个具体的数值, 有如下漂亮的结果:

$$\Psi(1) = -\gamma, \qquad \Psi(2) = 1-\gamma,$$

$$\Psi_1(1) = \zeta(2) = 1+\frac{1}{2^2}+\frac{1}{3^2}+\frac{1}{4^2}+\cdots = \frac{\pi^2}{6}.$$

六、随机数学中的伽马函数

伽马函数在概率统计中频繁现身, 众多的统计分布, 包括常见的统计学三大分布 (t 分布, χ^2 分布, F 分布)、贝塔分布、狄利克雷分布的密度公式中都有伽马函数的身影. 当然发生最直接联系的概率分布是直接由伽马函数变换得到的伽马分布. 对伽马函数的定义做一个变形, 可以得到如下式子:

$$\int_0^\infty \frac{x^{\alpha-1}\mathrm{e}^{-x}}{\Gamma(\alpha)}\mathrm{d}x = 1. \tag{15}$$

取上式积分号中的函数作为概率密度, 就得到一个形式最简单的伽马分布密度函数

$$f(x) = \frac{x^{\alpha-1}\mathrm{e}^{-x}}{\Gamma(\alpha)}.$$

如果在 (15) 式中做变换 $x = \beta t$, 就得到伽马分布密度函数更一般的形式

$$f(t) = \frac{\beta^\alpha t^{\alpha-1}\mathrm{e}^{-\beta t}}{\Gamma(\alpha)}.$$

伽马分布在概率统计领域也是一个 "万人迷", 众多分布都和它有密切关系. 我们熟悉的指数分布

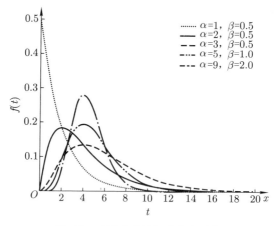

图 14 不同参数的伽马分布图像

$Exp(\lambda)$ 和 n 个自由度的卡方分布 $\chi^2(n)$ 其实都是伽马分布的特例, 密度函数分别对应于 $\alpha = 1, \beta = \lambda$ 和 $\alpha = \dfrac{n}{2}, \beta = \dfrac{1}{2}$. 观察图 14 可以发现, 伽马分布在不同的参数配置下可以呈现众多的形状, 因此具有强大的拟合数据的能力. 伽马分布同时是一个很强大的先验分布, 在贝叶斯统计分析中被广泛地用作其他分布的先验. 如果把统计分布中的共轭关系类比为人类生活中的情侣关系的话, 那指数分布、泊松分布、正态分布、对数正态分布都可以看作是伽马分布的 "情人".

接下来的内容中我们主要关注 $\beta = 1$ 的简单形式的伽马分布. 伽马分布首先和泊松分布发生密切的联系, 容易发现伽马分布和泊松分布在数学形式上具有高度的一致性. 参数为 λ 的泊松分布, 概率

分布写为

$$P(X = k) = \frac{\lambda^k \mathrm{e}^{-\lambda}}{k!},$$

在伽马分布的密度函数中取 $\alpha = k + 1$ 得到

$$f(x) = \frac{x^k \mathrm{e}^{-x}}{\Gamma(k+1)} = \frac{x^k \mathrm{e}^{-x}}{k!}.$$

这二者一模一样! 这两个分布的数学形式具有高度的一致性, 只是泊松分布是离散的, 伽马分布是连续的. 这种数学上的一致性难道是偶然的吗? 事实上, 从泊松分布出发, 利用一个简单的概率物理模型可以对伽马分布的密度函数给出清晰的物理解释.

泊松分布可以用于描述一段时间内事件发生次数的统计性质, 譬如接到的电话的次数. 假设我们关心的不是一段有限的时间, 而是 $(0, \infty)$ 整个时间轴上接到电话的统计性质, 应该如何来描述呢? 我们可以假设接到的电话满足如下性质:

1. 概率在时间轴是独立均匀分布的, 即每个等长的时间区间上是否接到电话是独立的, 并且概率分布一样;

2. 每一个长度为 h 的充分小的时间片上接到一个电话的概率正比于时间片的长度;

3. 每一个充分小时间片上最多只能接到一个电话;

4. 平均而言, 假设每个长度为 1 的单位时间片上接到电话个数是 1.

如果我们考察 $[0, \lambda]$ 这个时间区间, 那么平均而言, 这个长度为 λ 的时间片上应该接到 λ 个电话,把这个时间区间分成 n 个独立的小片, 那么每个时间片上接到一个电话的概率恰好是 $p = \lambda/n$. 当 n 足够大的时候, 每个时间片上只能接到一个电话或者没有接到电话, 恰好对应于成功概率为 p 的一个伯努利实验. 于是 n 个时间片对应于 n 个独立的伯努利实验, 所以 $[0, \lambda]$ 这个时间区间上接到的电话总数 X 应该符合二项分布

$$P(X = k) = \binom{n}{k} p^k (1 - p)^{n-k}.$$

由于 $np = \lambda$, 当 n 趋向于无穷的时候, 电话个数 X 将满足参数为 λ 的泊松分布, 即

$$P(X = k) = \frac{\lambda^k \mathrm{e}^{-\lambda}}{k!}.$$

熟悉随机过程理论的读者马上会发现以上模型实际上是参数为 1 的泊松过程. 我们关心的问题是: 什么时候会接到第 $k + 1$ 个电话? 或者说**接到第 $k + 1$ 个电话的时间点 Y_{k+1} 会是什么概率分布?** 形式化的描述就是如何计算如下概率:

$$P(\lambda < Y_{k+1} \leq \lambda + \mathrm{d}\lambda)$$

上式的含义是第 $k + 1$ 个电话落在长度为 $\mathrm{d}\lambda$ 的区间 $(\lambda, \lambda + \mathrm{d}\lambda]$ 内, 这个概率事件可以分解为两个独立事件:

1. 区间 $(\lambda, \lambda + \mathrm{d}\lambda]$ 内接到一个电话, 这个概率是 $\mathrm{d}\lambda$. (由于这个时间片足够小, 按照题目要求, 也只能接到一个电话.)

2. 区间 $[0, \lambda]$ 内接到了前 k 个电话, 这个概率是

$$P(X = k) = \frac{\lambda^k \mathrm{e}^{-\lambda}}{k!}.$$

于是所求的概率是以上两个事件概率相乘, 即

$$P(\lambda < Y_{k+1} \leq \lambda + \mathrm{d}\lambda) = P(X = k) \cdot \mathrm{d}\lambda.$$

由于第 $k+1$ 个电话必然出现在时间轴上某处, 所以把时间轴所有无穷小区间上的概率累加起来, 正好对应于必然事件的概率 1, 所以有

$$\int_0^\infty P(X = k) \cdot \mathrm{d}\lambda = 1.$$

把 $P(X = k)$ 代入上式即可得到

$$\int_0^\infty \frac{\lambda^k \mathrm{e}^{-\lambda}}{k!} \mathrm{d}\lambda = 1,$$

$$k! = \int_0^\infty \lambda^k \mathrm{e}^{-\lambda} \mathrm{d}\lambda.$$

上述两式正好就对应于伽马分布和伽马函数对阶乘的推广. 所以, **接到第 $k+1$ 个电话的时间点 Y_{k+1} 恰好符合伽马分布**. 综上, 我们其实是从泊松分布出发, 完全基于概率物理模型, 推导出了伽马分布和伽马函数, 而推导的过程给伽马分布的密度函数提供了很好的物理解释.

如果我们把 e^λ 的泰勒展开式和伽马函数对照

写成如下形式:

$$e^\lambda = \sum_{k=0}^{\infty} \frac{\lambda^k}{k!}, \tag{16}$$

$$k! = \int_0^{\infty} \frac{\lambda^k}{e^\lambda} d\lambda, \tag{17}$$

我们发现这两个式子形式上具有对偶关系. 由于 $\sum$ 和 $\int$ 都表示求和, 几乎可以认为从第一个式子只是把 e^λ 和 $k!$ 交换一下就得到了第二个式子. 这两个式子之间有更多的内在联系吗? 事实上如下一个奇妙的等式成立:

$$\frac{1}{k!} \int_0^{\lambda} \frac{\lambda^k}{e^\lambda} d\lambda + \frac{1}{e^\lambda} \sum_{n=0}^{k} \frac{\lambda^n}{n!} = 1. \tag{18}$$

用上面描述的泊松过程的物理模型, 可以很容易地证明这个等式. 我们把数轴分成 $(0, \lambda]$ 和 (λ, ∞) 这两个区间, 考察第 $k+1$ 个电话接到的时间 Y_{k+1} 分别落在这两个区间的概率, 当然有

$$P(Y_{k+1} \leq \lambda) + P(Y_{k+1} > \lambda) = 1.$$

按照上述的物理模型, 显然第 $k+1$ 个电话的时间落入 $(0, \lambda]$ 的概率为

$$P(Y_{k+1} \leq \lambda) = \int_0^{\lambda} \frac{\lambda^k e^{-\lambda}}{k!} d\lambda.$$

如果第 $k+1$ 个电话的时间点落入 (λ, ∞), 这个事件等价地可以理解为 $(0, \lambda]$ 上的电话个数不能超过

k 个, 由于 $(0, \lambda]$ 这个有限时间区间上的电话次数符合参数为 λ 的泊松分布, 所以这个概率为

$$P(Y_{k+1} > \lambda) = P(X \le k) = \sum_{n=0}^{k} \frac{\lambda^n e^{-\lambda}}{n!}.$$

所以我们得到

$$\int_0^\lambda \frac{\lambda^k e^{-\lambda}}{k!} d\lambda + \sum_{n=0}^{k} \frac{\lambda^n e^{-\lambda}}{n!} = 1. \tag{19}$$

这个式子俗称**泊松 – 伽马对偶**, 将它简单整理一下就是 (18) 式.

由于泊松分布可以看做是二项分布的极限分布, 我们也可以从二项分布的角度对伽马分布进行解释. 由于

$$e^{-\lambda} = \lim_{n \to \infty} \left(1 - \frac{\lambda}{n}\right)^n,$$

所以伽马分布的概率密度可以重写为

$$\begin{aligned}
\frac{\lambda^k e^{-\lambda}}{k!} &= \lim_{n \to \infty} \frac{\lambda^k \left(1 - \dfrac{\lambda}{n}\right)^n}{k!} \\
&= \lim_{n \to \infty} \frac{n! n^k \left(\dfrac{\lambda}{n}\right)^k \left(1 - \dfrac{\lambda}{n}\right)^n}{k! \cdot n!} \\
&= \lim_{n \to \infty} \frac{(n+k)!}{k! \cdot n!} \left(\frac{\lambda}{n}\right)^k \left(1 - \frac{\lambda}{n}\right)^n \\
&= \lim_{n \to \infty} \binom{n+k}{k} \left(\frac{\lambda}{n}\right)^k \left(1 - \frac{\lambda}{n}\right)^n.
\end{aligned}$$

显然上式具有明确的二项分布的物理含义. 进一步, 二项分布和贝塔分布之间也存在完全类似 (19) 式的

一个等式, 即

$$\frac{n!}{k!(n-k-1)!} \int_0^p t^k (1-t)^{n-k-1} \mathrm{d}t +$$

$$\sum_{v=0}^{k} \binom{n}{v} p^v (1-p)^{n-v} = 1. \tag{20}$$

事实上我们知道 $n \to \infty$ 时上式中二项分布的极限是泊松分布, 而贝塔分布的极限是伽马分布, 那么就很容易理解 (19) 式其实可以看做是 (20) 式的极限形式.

结　束　语

作家海明威有一句名言：“冰山运动之雄伟壮观，是因为它只有八分之一在水面上.” 阶乘这个基于整数的数学概念，俨然是一座冰山宫殿! 整数的一角漂浮于水面之上，朴实无华，迷惑了众人的眼睛. 满怀好奇心的数学探险家们却眼光犀利深邃，洞察了那水下的奥秘. 在深入细致地分析探索中，探险家们来到了深藏于冰山深处的一个深邃而庞大的洞穴入口 —— 那是神奇的伽马函数的宫殿之门. 数学探险家们争先恐后进入洞穴一窥究竟，却不识庐山真面目，在几代探险家们的努力下，终于发现这是一座雄伟壮观的冰山宫殿，宫殿的基石由实数域、复数域，甚至是有限域搭建而成，屋顶由整数铺设，宫殿深藏于水中，微微露出一角. 殿中有众多迷人的现代数学宫室，琳琅满目地陈列着伽马函数的神奇技艺，令人赏心悦目、流连忘返.

许多人认为数学的概念是静态的：数学概念产生于历史上某一个时刻，某一位数学大家之手，之后就几乎一成不变了. 对于大多数非数学专业的人而

图 15　伽马函数冰山

言, 这种感觉很自然, 毕竟普通读者所接触的几何、代数、微积分这些数学知识早就已经体系成熟, 存在了几百甚至上千年. 然而数学的发展其实是先有探索的阶段, 然后才会沉淀为逻辑与体系, 只是我们的数学课本历来偏重后者而忽视前者. 如果我们对数学知识的探索过程有所了解的话, 会发现这些探索也犹如冰山掩藏在水面之下的部分, 甚至比露出的尖角更具魅力.

台湾大学的数学教授蔡聪明先生在数学的科普传播方面写过大量的文章, 他在《数学的发现趣谈》一书中对于数学的创造、发现与发展有一段精彩的论述: "如果你不知道一个定理 (或公式) 是怎样发现的, 那么你对它并没有真正的了解, 因为真正的了解必须从逻辑因果掌握到创造的心理因果. 一个定理的诞生, 基本上跟一粒种子在适当的土壤、风雨、阳光、气候等之下，发芽成一棵树，再开花结果，并没有两样." 本文尝试尽可能地呈现伽马函数这棵数学之树的生长历程，可以说伽马函数的种子最早是沃利斯播下的，欧拉给予了最好的施肥、灌溉使得种子发芽，而后来众多数学家的努力使得这棵嫩芽茁壮成长，最终几乎成长为一棵参天大树.

伽马函数这棵大树在现代数学中如此繁茂，笔者知识浅薄仅能描绘它很有限的一部分. 这个函数在数学上魅力独特，不仅能够被一个理科本科生很好的理解，它本身又足够的深刻，具有很多漂亮的数学性质，历史上曾吸引了众多一流的数学家对它进行探索研究. 美国数学家 Philip J. Davis 在 1959 年的《美国数学月刊》上发表了一篇很有名的介绍伽马函数的文章，文中对伽马函数一些特性发现的历史进行了详细的描述，这篇文章获得了 Chauvenet Prize (美国数学会颁发的数学科普奖). 他在文章的末尾做了一句总结，我把它理解为那是对神奇的伽马函数由衷的赞美和认同:

> *Each generation has found something of interest to say about the gamma function. Perhaps the next generation will also.* (每一代人都发现了一些伽马函数的有趣性质，也许下一代人也会有所发现.)

推 荐 阅 读

如果希望了解更多阶乘研究以及伽马函数相关的历史, 推荐阅读如下文献:

- 蔡聪明, 瓦里斯寻 π 的发现理路, 科学月刊, 27(4), 1996
- 蔡聪明, 瓦里斯公式及其相关的结果, 科学月刊, 27(5), 1996
- 蔡聪明, 谈 Stirling 公式, 数学传播, 17(2), 1993
- Philip J. Davis, Leonhard Euler's Integral: A Historical Profile of the Gamma Function, The American Mathematical Monthly, vol. 66, pp. 849–869, 1959
- Jacques Dutka, The Early History of the Factorial Function, Archive for History of Exact Sciences, 43 (3), pp. 225–249, 1991
- Detlef Gronnau, Why is the gamma function so as it is?, Teaching Mathematics and Computer Science, 2003
- Emil Artin, The Gamma Function (English Trans-

lation), Holt, Rinehart and Winston, Inc., 1964

- George E. Andrews et al., Special Functions, Cambridge University Press, 2001
- Ian Tweddle, James Stirling's Methodus Differentialis: An Annotated Translation of Stirling's Text, Springer, 2003

郑重声明

读者意见反馈

为收集对教材的意见建议，进一步完善教材编写并做好服务工作，读者可将对本教材的意见建议通过如下渠道反馈至我社。

咨询电话　　400-810-0598
反馈邮箱　　hepsci@pub.hep.cn
通信地址　　北京市朝阳区惠新东街4号富盛大厦1座
　　　　　　高等教育出版社理科事业部
邮政编码　　100029